Sami à la pêche

Texte
Sandra Lebrun et Loïc Audrain

Illustrations
Thérèse Bonté

hachette
ÉDUCATION

Avec Sami et Julie, lire est un plaisir !

Avant de lire l'histoire

- Parlez ensemble du titre et de l'illustration en couverture, afin de préparer la compréhension globale de l'histoire.
- Vous pouvez, dans un premier temps, lire l'histoire en entier à votre enfant, pour qu'ensuite il la lise seul.
- Si besoin, proposez les activités de préparation à la lecture aux pages 4 et 5. Elles permettront de déchiffrer les mots les plus difficiles.

Après avoir lu l'histoire

- Parlez ensemble de l'histoire en posant les questions de la page 30 : « As-tu bien compris l'histoire ? »
- Vous pouvez aussi parler ensemble de ses réactions, de son avis, en vous appuyant sur les questions de la page 31 : « Et toi, qu'en penses-tu ? »

Bonne lecture !

Conception de la couverture : Mélissa Chalot
Réalisation de la couverture : Sylvie Fécamp
Maquette intérieure : Mélissa Chalot
Mise en pages : Typo-Virgule
Illustrations : Thérèse Bonté
Édition : Élisabeth Sanchez

ISBN : 978-2-01-712301-9

Achevé d'imprimer en Avril 2020 en Espagne par Unigraf
Dépôt légal : Avril 2020 - Édition 1 - 18/8311/6

Les personnages de l'histoire

1. Montre le dessin quand tu entends le son (è) comme dans p<u>ê</u>che.

2. Montre le dessin quand tu entends le son (oi) comme dans p<u>oi</u>sson.

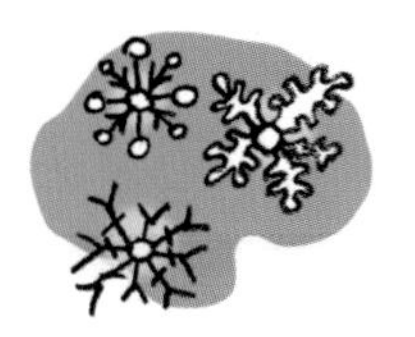

3. Lis ces syllabes.

que on fai au jour man ti

jeu non pa ni ca so

4 Lis ces mots-outils.

on au vous je quelle

nous même pas la de est

5 Lis les mots de l'histoire.

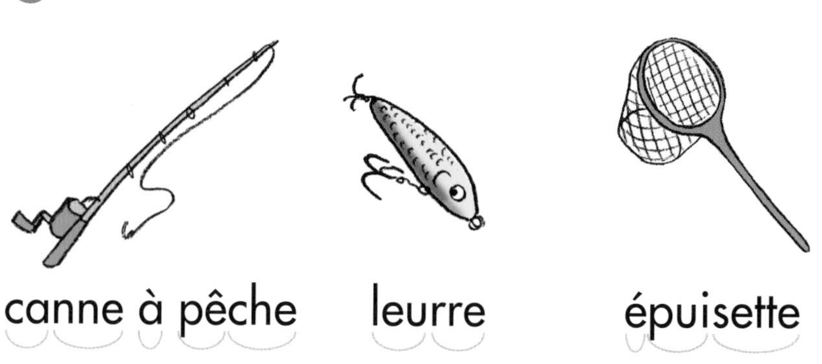

canne à pêche   leurre   épuisette

étang   truite   pêcheur

– Qu’est-ce qu’on fait aujourd’hui ? demande Julie à Maman.

– Surprise ! Je vous emmène pêcher ! annonce Papa.

– Pêcher ? Quelle drôle d’idée ! ironise Maman. Nous n’avons même pas de canne.

papa
Tu en penses quoi, Tobi ?
OUAF !

Papa a la solution : direction le magasin de pêche !

Sami est impressionné :

– C'est le paradis du pêcheur ici !

– On va prendre deux cannes et des moulinets, une épuisette, des leurres, un seau…, énumère Papa.

– Et n'oubliez pas votre carte de pêche, précise un vendeur amusé.

Il est trop drôle !

Deux heures plus tard, toute la famille est installée au bord de l'étang. Papa a disposé un festin sur la couverture.

– Super : c'est comme un goûter géant ! s'écrie Sami.

Papa engloutit son sandwich, pressé de commencer à pêcher.

– C’est une bonne idée cette partie de pêche, reconnaît Maman.

– Je parie que mon seau va être trop petit ! plaisante Papa.

Papa peine à monter sa canne à pêche. Lassée d'attendre, Julie lance des pierres à la surface de l'eau. Magique : le caillou rebondit !

– Super ricochet ! s'exclame Julie.

Sami est impressionné.

Après de longues minutes d'application, Papa leur dit enfin :

– Ça y est, les enfants : c'est prêt, venez accrocher le leurre !

Enfin, tout est en place pour une pêche magnifique. Papa et Sami sont impatients d'attraper un poisson. Le temps passe, mais rien ne mord…

– Je n'ai pas une seule touche ! ronchonne Sami en posant sa canne.

– Tu abandonnes déjà ? demande Papa.

– Non, je fais une pause, rectifie Sami.

Sami et Julie jouent maintenant à cache-cache. Maman a rejoint Papa pour lui tenir compagnie. Quand, tout à coup...

– Sami, crie Julie, tu as

une touche !

Aussitôt, Sami se retourne et...

Il se précipite vers sa canne,
mais trop tard ! Le poisson qui
a mordu à l'hameçon emporte
toute la ligne avec lui.
La canne flotte au milieu
de l'étang. Sami n'en croit pas
ses yeux.

Ma canne !

Sur l’autre rive de l’étang, un pêcheur a assisté à toute la scène.

Armé de sa canne, il lance

sa ligne et réussit à accrocher

celle de Sami.

En deux minutes, toute la famille
a rejoint l’autre rive.

– Tiens, jeune homme : c’est
ton poisson ! déclare le pêcheur.
C’est à toi de le sortir de l’eau.

– Merci, monsieur ! répond Sami
ravi.

Il saisit sa canne et tourne
le moulinet.

Ça y est !
Je le vois !

Quelle joie ! Sami a attrapé son premier poisson : une belle truite !

– J'envoie tout de suite une photo à Papi et Mamie, s'exclame Maman, très fière de son fils.

Maman est déjà en train d'imaginer le festin du soir :

– J'adore la truite meunière !

– On ne va quand même pas manger mon poisson..., s'inquiète Sami. Ce serait trop cruel !

MiAM !

– Je sais ! dit Sami. Je vais
le remettre à l'eau.
– Oh oui, bonne idée !
s'exclame Julie.
Papa et Maman applaudissent
Sami.
– Tu peux être fier de toi,
tu es un vrai
pêcheur !

Bravo, Sami !

As-tu bien compris l'histoire ?

1 Qui propose de partir à la pêche ?

2 Sais-tu ce qu'est un leurre ?

3 Pourquoi Sami perd-il sa canne ?

4 Qui récupère la canne de Sami ?

5 Pourquoi Sami relâche-t-il la truite ?

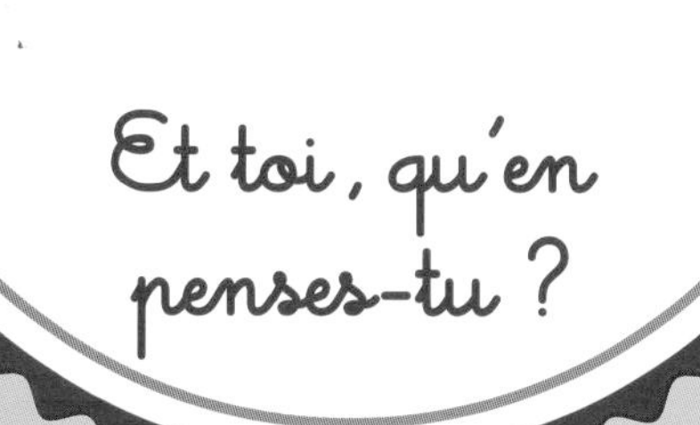

As-tu déjà pêché ?

Es-tu déjà allé(e) au bord d'un étang ?

Sami a pêché une truite. Connais-tu d'autres noms de poisson ?

Aimes-tu manger du poisson ?

Aimes-tu les pique-niques ?

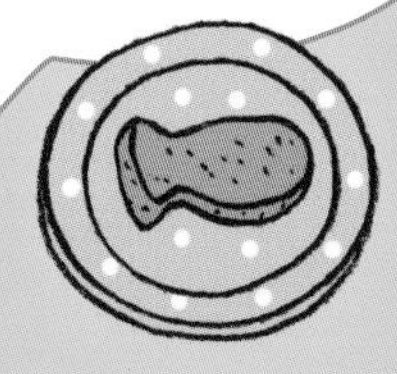

As-tu lu tous les Sami et Julie ?

Milieu de CP

Fin de CP

Le défi nature de Sami et Julie